郑栗儿/著
钟淑婷/绘

大师密码 A-Z系列

大师密码T

谁打败了金刚？

U0961330

人民东方出版传媒
People's Oriental Publishing & Media
東方出版社
The Oriental Press

图书在版编目（CIP）数据

大师密码 . T, 谁打败了金刚？ / 郑栗儿著 ; 钟淑婷绘 . —北京 : 东方出版社 , 2015.11

ISBN 978-7-5060-8744-5

Ⅰ. ①大… Ⅱ. ①郑… ②钟… Ⅲ. ①儿童故事—作品集—中国—当代 Ⅳ. ① I287.5

中国版本图书馆 CIP 数据核字（2015）第 267127 号

大师密码 T：谁打败了金刚？
（DASHI MIMA T: SHUI DABAI LE JINGANG?）

作　　者：郑栗儿
绘　　者：钟淑婷
产品经理：张媛媛
责任编辑：张媛媛
出　　版：东方出版社
发　　行：人民东方出版传媒有限公司
地　　址：北京市东城区朝阳门内大街 166 号
邮政编码：100706
印　　刷：小森印刷（北京）有限公司
版　　次：2016 年 3 月第 1 版
印　　次：2016 年 3 月第 1 次印刷
印　　数：1—5 000 册
开　　本：720 毫米 ×950 毫米 1/16
印　　张：5
字　　数：48 千字
书　　号：ISBN 978-7-5060-8744-5
定　　价：18.00 元
发行电话：（010）64258117 64258115 64258112

目 录

出版前言

每个父母都希望孩子未来能出类拔萃，并在孩子的教育问题上倾尽心力。

许多孩子长大后成熟乐观，在社会上如鱼得水，但不少人成年后并不快乐。他们即使地位显赫、经济条件优越，依然郁郁寡欢。带来快乐的因素有很多，其中起决定作用的则是人格。面对同样的问题，不同的人格往往造就不同的结果。

怎样才能培养健全的人格？我们不妨到传统文化中去寻找答案。几千年来，儒、道、佛相得益彰，共同塑造着国人的精神世界。儒家关切社会的治理，道家关怀生命自然状态的保持，而佛家则关心人生痛苦的解除。故此，历史上就有“儒家治世、道家治身、佛家治心”的说法。

今天很多人习惯于将佛教简单理解为一种宗教，有的人甚至认为它是封建迷信。如果去掉宗教的外衣，它其实是一座充满智慧，兼具心理、品德教育功能的文化宝库。

为此，我们从台湾引进了这套“大师密码”A–Z 系列。这套书以 130 个佛教大师的成长故事，体现了 130 个美好的人格特质。沉着、孝顺、无畏、远见……从这些有趣的故事里，孩子们不但可以学会如何获得成功，更能明白如何倾听内心的声音，获得快乐。

这套书结构编排巧妙，集合了台湾优秀的作家及插画师。书中故事生动活泼，插画精美，在台湾广受好评，曾获得台湾“第 27 次中小学生优良课外读物推介”。相信它同样会得到大陆青少年朋友的喜爱。

大师的密码　成功的特质

在我还是青少年时，就很喜欢阅读佛教大师的传记故事。可以说，我的人格就是从阅读大师的史传故事，点点滴滴建立起来的。

不论大人、小孩都喜欢读故事，法鼓文化历时两年的筹备，制作了这套有丰富精美插画的“大师密码”A–Z系列。这套书中，选出130个“大师的美好特质”，一个特质就是一个大师故事，让孩子在趣味的故事中自然吸收大师的养分。

我曾指出佛教的高僧必须具有四大条件：持戒清净、修行精进、慈悲济众与护持佛法；如果转换成现代人的语汇，就是自律、认真、宽大、懂得回馈，而这些正是所有成功人士必备的条件。

很多家长以为孩子学佛会变得消极、不具竞争力；如果从大师的四大条件来看，这样的想法完全错误！孩子接触佛法绝对会更积极、健康，能为他们的一生奠定稳固的基础。

大师们的成就绝非偶然，也没有人一出生就是大师，父母应该提供这样的环境，让人格正在成长形塑中的孩子，吸收历代大师们的生命菁华，转化为他们自己的。我相信这一套“大师密码”A–Z系列，能够成为孩子们成长的助缘！

聖嚴

台湾法鼓山禅修文教体系创办人

谁打败了金刚?

大师密码 Transcendence 自我提升

打棒球打出全垒打不稀奇，一棒打得人开窍才稀奇呢！中国禅宗的“德山棒”可是名满天下，许多人不远千里来求德山宣鉴给他们一棒，希望在棒起棒落间，打出智慧的火花来。

德山俗姓周，少年出家，法名宣鉴。他精研律藏，对自己的学问相当自负，觉得没有佛理是他不知道的，由于他常常讲解《金刚经》，大家就称他为“周金刚”。这位周金刚，原本挑着一担《金刚经》的相关作品，要到南方舌战群雄，不料竟被路上卖饼的老婆婆考住了，这让他了解到自己不是永远的第一名，从此便不再骄傲自负。为了进一步自我成长，他拜龙潭崇信禅师为师，虚心学习。

正因为德山宣鉴能自我提升，他不只开启自己的全新视野，更是将禅宗带到了新的高峰！

小档案 德山

- 国籍：中国
- 别称：周金刚
- 专长：禅修
- 影响：以“德山棒”声震古今禅林
- 事迹：不以博学自满，能虚心请教，让自己更上一层楼

德山挑着一大担不知什么东西，他额头上大滴、小滴的汗直流，这一趟去南方的旅程走了不少辛苦路。但为了向南方的禅宗挑战，德山鼓励自己："加油！再苦、再累也是值得的！"他看了一眼肩上担着的东西，充满了信心。

原来，德山担的是一堆《金刚经》❶的批注书籍，事情是这样的——

年纪轻轻就出家的德山，精研各种佛经，尤其对《金刚经》更是融会贯通，几乎每一条经文都能倒背如流，还可以说得头头是道，每一次他讲解《金刚经》时，总是座无虚席，人们都尊称他为"金刚师父"。

❶**《金刚经》**：通过佛陀与须菩提的对话，将佛法的空义做最透彻的阐释，是中国禅宗特别重视的一部经典。

有一天，德山的同学跑来跟他说：“德山，我看你读《金刚经》也只是了解皮毛而已，人家南方禅宗弘扬的《金刚经》精神，是惠能所说的‘直指人心，见性成佛’❷，而且现在已经广为流传了。”

德山听完后，非常生气地说：“出家人要历经一千劫的修行，才能学到佛的样子，再历经一万劫的修行，才能学得佛的举止，随随便便‘直指人心’就可以‘见性成佛’，这简直是魔说，根本不是佛教！我不去跟他们辩个高下，阻止这个邪说，只怕佛教会彻底毁灭了！”

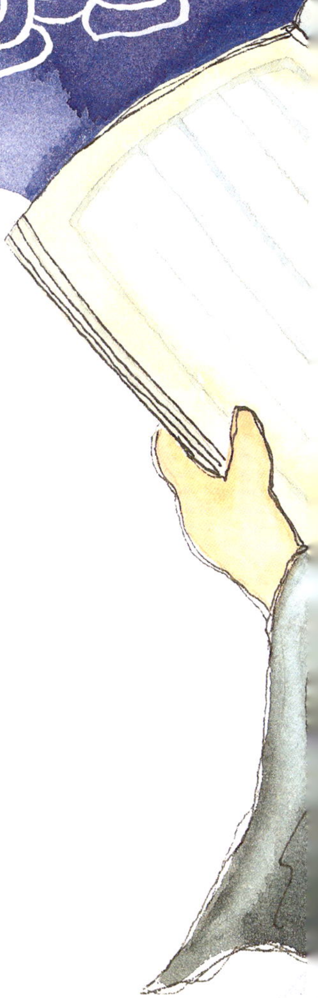

❷ **直指人心，见性成佛**：禅的智慧不用向外界寻求，只要直观自己的心，不必分析思考，就能彻知自己本来就具有的佛性，达到佛的境界。

于是，德山把所有《金刚经》的批注书籍都打包好，用扁担一挑，就往南方出发了，他好不容易来到龙潭，听说这里有一位崇信禅师，也是南方禅宗的大师，便决定先去向他挑战。

这天烈日当空，幸好在上山的途中出现了一间茶馆，德山开心地走进茶馆，想买一些点心充饥："请问卖点心吗？我想买一些。"

开茶馆的老婆婆看着德山放下肩担的东西，好奇地问："你担的是什么，大热天的不嫌累啊？"

德山回答："哦！这是批注《金刚经》的书籍。"

一听到《金刚经》，老婆婆的眼睛亮了一下，便说：“这样好了！既然你知道《金刚经》，我有一个问题问你，答得出来的话，我就送你点心，不要你一文钱；答不出来的话，你就去别的地方买吧！”

德山心想：“这有什么难的！我研读《金刚经》也好几年了，再怎么样也不会输给一个乡下老婆婆吧？”

他点头同意：“您问吧！”

老婆婆就问他：“这《金刚经》上面说，过去心不可得，现在心不可得，未来心不可得，不知师父你现在要点哪一个心呢？”

德山一听，整个人像是突然被天雷劈开似的，张着大嘴巴愣在那里，完全答不出话来，这个出人意料的问题打翻了德山全部的学问，过去所有对《金刚经》理解的知识，丝毫没办法帮助他回答这个问题。德山只能十分惭愧地低着头、饿着肚子，挑着他的担子离开了茶馆。

还没跟龙潭的崇信禅师论战，就被茶馆的老婆婆挫去了一半的锐气，德山不禁怀疑：“连开茶馆的老婆婆都这么厉害，崇信禅师不是更难挑战吗？”一向自负的德山，对于此行的任务能否达成，信心开始有点动摇了。

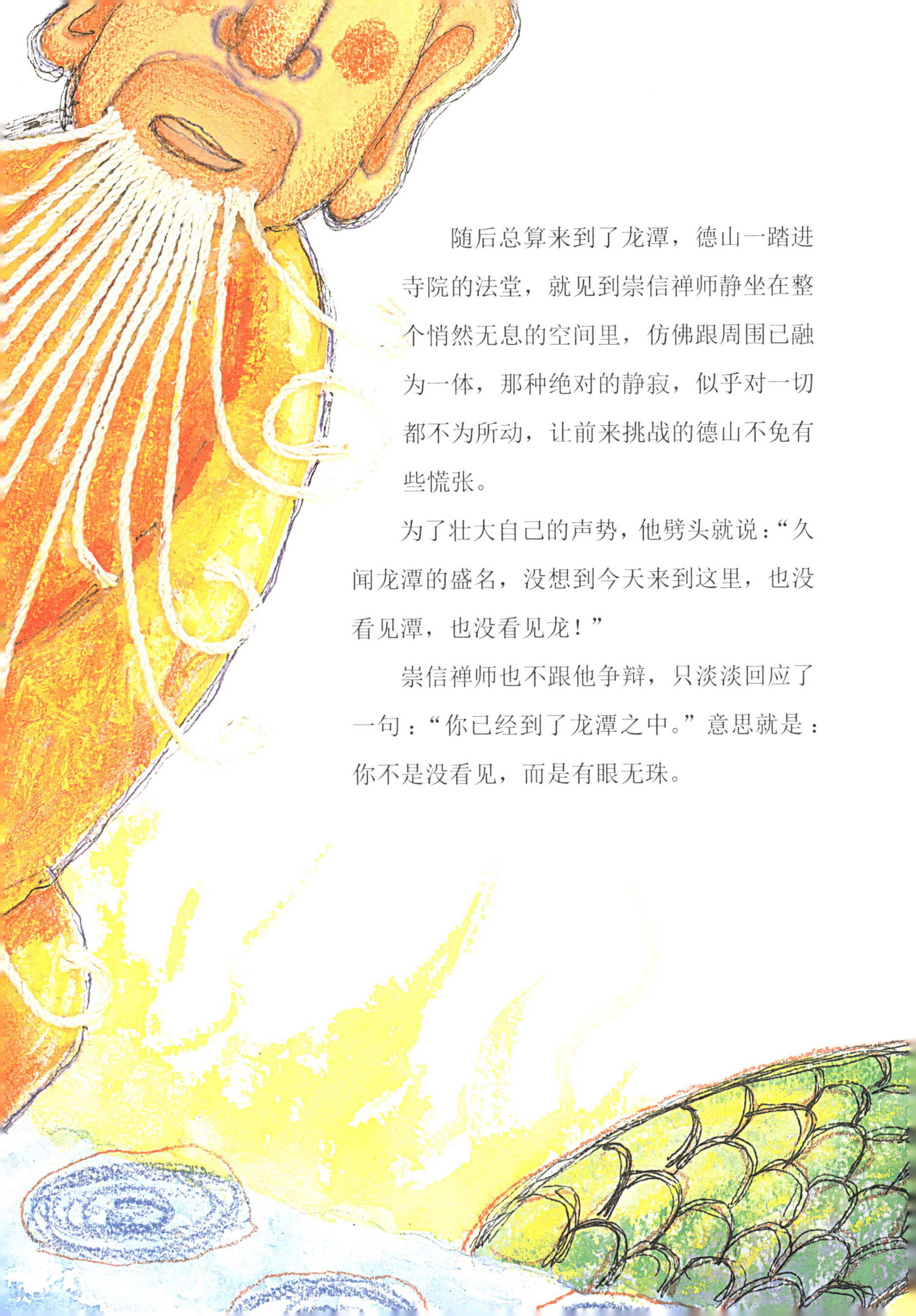

随后总算来到了龙潭，德山一踏进寺院的法堂，就见到崇信禅师静坐在整个悄然无息的空间里，仿佛跟周围已融为一体，那种绝对的静寂，似乎对一切都不为所动，让前来挑战的德山不免有些慌张。

为了壮大自己的声势，他劈头就说：“久闻龙潭的盛名，没想到今天来到这里，也没看见潭，也没看见龙！”

崇信禅师也不跟他争辩，只淡淡回应了一句：“你已经到了龙潭之中。”意思就是：你不是没看见，而是有眼无珠。

说得德山完全接不上话来，这时他才总算明白自己的功夫真是太浅了，对于《金刚经》的理解也仅为表面的知识，还想“老王卖瓜，自卖自夸”，来向南方禅宗挑战，简直是不自量力，难怪随便一个老婆婆都能轻易赢过他。

德山知道眼前这位充满智慧的禅师，将是帮助自己超越过去、提升自我的导师。于是收起傲慢的态度，跪在地上，向崇信禅师请求：“请师父指导我习禅吧！”

崇信禅师也知道这位颇具慧根的年轻僧人，只是暂时被知识绑住了，少了点实际的体验，如果能够更进一层，将来必有一番非凡的作为，因此就让德山留了下来，亲自指导他禅法。

原本学佛就很用功的德山，从此更加用心地追随崇信禅师，对于师父的任何指点都十分认真地加以学习，但还是一直没有领悟到佛法的真谛。

这一天，夜已经很深了，德山还待在静坐了很久的崇信禅师身旁，久久不肯离去，怕师父突然有什么吩咐而自己不在跟前。

崇信禅师睁开眼，对德山说：“赶紧回房去睡吧！师父会照顾自己的。”

德山听后才放心地离开师父的房间，没想到，一走出去，看见外头一片漆黑，整座山头都被黑暗给吞噬，伸手不见五指。

于是德山又敲开师父的房门，跟崇信禅师说：“外面很黑，我还是天亮再走吧！”

如意

崇信禅师便找出一根蜡烛，点上了火，然后打开房门，把它递给德山，德山刚伸手要去接，这时崇信禅师忽然把蜡烛给吹灭了，四周瞬时又恢复了原来的黑暗，原本蜡烛所照见的一切转眼不见了，而德山在这一明一暗中，顿时明白了师父要他所体会的真理，立刻跪在地上向师父叩谢。

崇信禅师问他："你看见了什么？"

德山恭敬地回答："师父要我了解什么是本来的面目，夜晚本来的面目就是黑暗，师父要我去接受事物本来的面目，而不是被自己的情绪或认知所蒙蔽了。从今以后，我再也不怀疑天下禅师所说的'直指人心，见性成佛'！"

崇信禅师笑答："很好！你已经超越了过去！"

在不断地自我提升后，德山果然也成为了一代禅宗大师，他的"德山棒"不但和"临济喝"齐名，更是启悟弟子的最佳顿悟法门。

好大的小水滴

大师密码 Thrifty 节约

生于日本京都的滴水，幼年就不幸丧亲。虽然被好心人收养，但才九岁的他已看出人生的变化无常，最终决定在龙胜寺出家，法号宜牧。他在十九岁时，原本不被允许外出参访，幸好有信徒很佩服他的勇气说："去吧！我来出草鞋钱，你只要在当大和尚后，坐轿子回来就好。"滴水这才能像小水滴一样自由地参访，并在四十八岁那年，果真光荣地坐轿返乡。

他外出学法的道路非常辛苦，为求见曹源寺住持仪山禅师，在门外冒大雨苦守了七天，才得以进门，虽不用再吃"闭门羹"，但要吃的苦头才刚开始！仪山禅师的严厉是出了名的，滴水动不动就会挨一顿臭骂，但他从没想过逃走，由于他的刻苦学习，后来终于成为振兴天龙寺的大师，从"小水滴"变成"大海洋"！

小档案 滴水

- 国籍：日本
- 别称：滴水宜牧
- 专长：禅修
- 影响：中兴日本天龙寺
- 事迹：节约生活资源

日本天龙寺有一个小和尚，听说岗山曹源寺的仪山禅师门风严谨，想要投到他门下的僧人，必须通过各种艰难的考验。于是，他便专程前去拜访仪山禅师，想要得到一些领悟。

“叩！叩！叩！”天都快黑了，小和尚敲着紧掩的寺门，却无人应答。

“请问，有人在吗？”小和尚不放弃地又再次敲门。

过了好久，里面总算有了回音：“谁呀？”

小和尚赶紧回说：“我是特地前来参访仪山师父的。”

里面略带睡意的声音，冷冷地回说："你走吧！我们仪山禅师的门风森严，不轻易接见外人。"

小和尚又着急地说："那可以让我挂个单吗？天色已晚了，我没有地方可住。"

没想到却被拒绝了："床位已经满了，不能接受挂单❶。"

虽然有点失望，但小和尚还是客气地说："谢谢你！很抱歉打扰了！"

❶ **挂单**：僧人出门在外，借住于寺院。

小和尚并不因为被拒绝而退却，他准备第二天再试试看，于是，就抱着随身携带的布包，蹲坐在门口，在满天星星的陪伴下睡了一晚。

第二天他再度敲寺门，一样被看门的僧人无情地拒绝了，这时忽然下起雨来，还下得没完没了，雨水打湿了小和尚的衣服，害他连连打了好几个喷嚏。小和尚躲在屋檐下，却一点也没有要离开的意思。

雨连续下了好几天，小和尚还是如如不动，每天都去敲一次寺门，客气地问：“我可不可以见见仪山禅师呢？”每天都得到相同的答复：“不行！”

就这样到了第七天晚上，寺门忽然“吱”的一声打开了，只见一位粗壮的僧人扯着嗓门说：“进来吧！仪山禅师同意见你了。”

小和尚顾不得脸上因为着凉流出的鼻涕，开心地跟着僧人进去拜见禅师，还来不及将内心一堆仰慕的话，说给看起来很威严的仪山禅师听，他老人家就已经丢出一句：“去管澡堂！”话一说完掉头就走了。

小和尚满怀喜悦地对着禅师的背影说：“谢谢师父！”

小和尚每天认真地工作，捡柴、生火、烧水，忙得不亦乐乎。有一天，仪山禅师要洗澡，手一伸进澡盆里，马上就缩了回来，因为洗澡水热得简直要烫掉人的一层皮。禅师跟小和尚说：“去提一桶冷水来！”

小和尚赶忙拎了一桶冷水来调和水温，一边跟师父道歉：“师父，对不起，刚刚没注意到洗澡水太烫了！”

仪山禅师什么话也没说。小和尚用冷水调好了水温，桶里还剩下一点点水，便顺手泼在地上。这时，仪山禅师突然大吼一声：“你这个笨蛋！”

小和尚吓了一跳，不知道师父为什么生气，仪山禅师接着脸红脖子粗地训斥说：“你怎么这么不惜福啊！干吗把剩下的水倒掉呢？”

小和尚无辜地回说："可是，就剩一点点而已了。"

仪山禅师听后更生气了："就算是一滴水，给树，树也很开心；给草，草也很欢喜，即使是一滴水也有它的价值啊！你有什么权利把它浪费掉呢？"

师父的教训好像五雷轰顶，噼里啪啦地打在小和尚的头上，小和尚突然就恍然大悟了："是啊！原来一滴水也蕴含着生命的奥秘，一滴水也有它的利用价值，但是我们往往都忽略了这一滴水。如果连一滴水都能珍爱，那世界上所有的一切，还有什么不能包容的呢？"

小和尚跪在师父面前感激地说："我懂了！谢谢您的教诲！"

为了纪念那一滴水给他的教育，从此小和尚便将自己的法名取为“滴水”，时时刻刻记得把自己的心和滴水融合在一起，从小事做起，通过节约来珍爱万物。

虽然滴水已经悟道了，但仪山禅师对他依然十分严格。有一次，仪山禅师和滴水到寺外散步，沿途的山景已经转为橘红、橙黄的缤纷秋色，枫叶随风漫舞，天气变得更凉了。滴水因为穿着单薄，被阵阵冷风吹得忍不住流出了鼻涕。回到寺内后，他赶紧拿桌上木盒里的白纸擤鼻涕。

仪山禅师盯着徒儿的一举一动，不客气地呵责说：“真浪费啊！一张得之不易的洁净白纸竟然拿去擦鼻涕，你的鼻子是特别尊贵吗？出家人不懂得节约，还能修什么行呢？”

滴水不好意思地回说："我知道错了！我确实不应该这么浪费，下次我会改用草纸擤鼻涕。"

仪山禅师回了一句："我们日常所需的一切，都是来自于大自然，所以要把大自然当作是我们的大身体，好好珍惜它，尽量少用资源并且节省资源，能够重复使用的，就回收再利用，否则有一天把大自然消耗光了，后代子孙还能活下去吗？"

滴水点点头，他更加体会到节约背后更深层的意义是让生命可以永续地发展下去，他赶紧把刚刚擤过鼻涕的白纸收好，师父疑惑地看了他一眼，滴水笑着说："另一面还可以再用！"

后来滴水开始弘法传道，他也继承了仪山禅师严厉简约的风格并以此来教导弟子。不但要他们下雨时，准备水桶接水，用来浇花擦地，还严格限制他们洗澡的用水量，一开始弟子们虽然很不习惯，但后来都跟着滴水禅师养成了节俭的好习惯。

“师父，请问世上什么功德最大呢？”滴水禅师最得意的学生画赞，在读完一本佛经后，疑惑地问他：“这本经书谈了很多功德，像是孝顺、布施等，可是有没有一种功德，可以包含所有的功德？”

滴水禅师毫不犹豫地回答：“滴水！”

画赞笑应：“滴水？这不是您的法名吗？而且一滴水那么渺小，怎能包含所有呢？”

滴水禅师说：“一滴水虽然渺小，却能形成广大的海洋。生活中如果能处处用心，连小如一滴水的事都能尽心做好，节约珍惜，那不就是最大的功德吗？”

画赞点头，他终于明白师父取名为滴水的原因了。

终极大保镖

大师密码 Trust 信任

僧导生于战乱不停的南北朝，十岁就出家了。他不但是个能举一反三的学生，而且日夜苦读不歇，因为贫穷买不起灯烛，还自己砍柴照明用来读经。他是中国佛经大翻译家鸠摩罗什译场的左右手，也是最专精成实论佛学思想的人。

由于北魏迫害佛教，数百位流离失所的出家人前来向僧导求助，僧导不怕连累地全部收留并照顾他们。南朝宋武帝刘裕听说了僧导的才德，也拜托僧导守护皇子。面对来势汹汹的敌军，要其自动撤退，那简直是天方夜谭！但是僧导却做到了。

出家人不能杀敌，但僧导以智慧为盔甲，慈悲为盾牌，做最和平的防御，让在战场上叱咤风云的敌军将领赫连勃勃，无法刀剑相向这样一位仁者，最终救了皇子一命。

小档案 僧导

- 国籍：中国
- 专长：佛学研究
- 影响：开创寿春系成实派
- 事迹：不避危险，收容与保护被迫害的僧人们

五胡十六国是一个混乱的时代，连绵不断的战争不但让老百姓失去了家园，也使得人与人之间失去了信任。

当时，有一位名叫僧导的小沙弥❶，他十岁就出家了，在他小小的心灵里常常出现一个疑问：“现在连善良的农民都无法耕作生存，跑去当抢匪了，面对这个可怕的世界，我能相信什么，做些什么呢？”

❶ **沙弥**：指佛教僧团中，尚未受完整戒律，年龄在七岁以上、未满二十岁的出家男子。

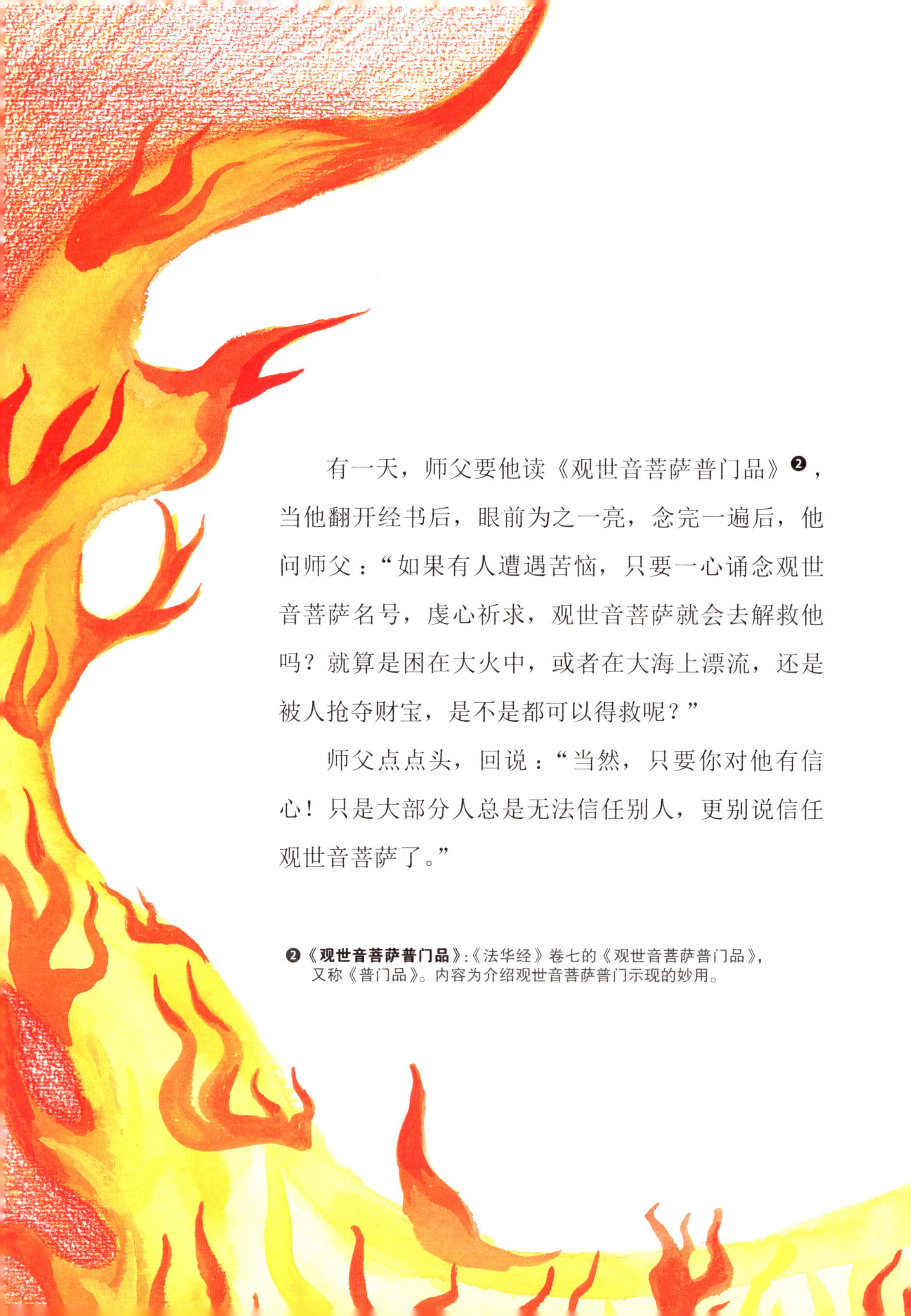

有一天，师父要他读《观世音菩萨普门品》[2]，当他翻开经书后，眼前为之一亮，念完一遍后，他问师父：“如果有人遭遇苦恼，只要一心诵念观世音菩萨名号，虔心祈求，观世音菩萨就会去解救他吗？就算是困在大火中，或者在大海上漂流，还是被人抢夺财宝，是不是都可以得救呢？”

师父点点头，回说：“当然，只要你对他有信心！只是大部分人总是无法信任别人，更别说信任观世音菩萨了。”

[2] **《观世音菩萨普门品》**：《法华经》卷七的《观世音菩萨普门品》，又称《普门品》。内容为介绍观世音菩萨普门示现的妙用。

僧导听后内心无比欢喜，对观世音菩萨的慈悲力量更加信任了。

他接着又问师父："这部经典应该不只一卷，您能给我全部的经文吗？"

师父见僧导如此用功，开心地将整部《法华经》[3]传授给他。

僧导捧着这部照亮心灵的经书，日夜诵读，常常读到废寝忘食。晚上读经时，因为没钱买油灯和蜡烛，就跑到山上捡一些干枯的树枝，燃成一堆小篝火，当作读经的照明工具。就这样，十八岁的僧导读完《法华经》后，其他有关的重要佛经也都融会贯通了。

3 **《法华经》**：是自古以来流传最广的佛经，认为一切众生都能成佛。

有一次，在一场重要的法会上，僧导巧遇了著名的僧叡法师，僧叡法师一看到他落落大方、气度不凡的神态，知道他是个奇才。

僧叡法师就试问他：“你有打算为佛法做一些什么事吗？”

僧导也很敬佩僧叡法师的佛学内涵，便回答：“我希望可以担任您说法时的主持人。”

僧叡法师看着气质出众的僧导，叹了一口气说：“你将来可是为万人说法的重要人物，岂是在法场中，做个穿针引线的主持人之辈呢？”

果然，僧导的德行赢得了后秦皇帝姚兴的欣赏，不但常去寺院向他请教，还和他共乘一辆马车。

后来，南朝宋武帝刘裕带兵攻打长安，把姚兴抓了起来，宋武帝也听说了僧导的大名，特地邀约见面，还恭敬地向僧导说：“我仰慕师父已经很久了，但总是碍于俗务而不能亲自拜见。”

僧导则笑答：“任何时候都是好时候，这时见面也很好啊！”

两人相谈甚欢，笃信佛法的宋武帝从僧导身上，感受到一股特别的信任感，长年征战沙场的他，因此敞开心怀，向僧导倾诉自己的压力和无奈：“战场上血淋淋地厮杀，为了国土你争我夺，常常都让我心力交瘁。”

僧导慈蔼地劝他："战争只是一时的，治国才是永久的，一个国家如果长期处在战乱中，老百姓一定会受不了的。身为一个君主，皇上您要把自己当作是救苦救难的观世音菩萨，为老百姓解除苦难，创造平安幸福的生活，而不是制造纷乱。"宋武帝点头称是，并体会到僧导所说的深义，这也是他往后要学习的治国之道。

不久，打了胜仗的宋武帝准备凯旋东归，他把儿子义真留了下来。临行前，他的眼皮跳个不停，便向僧导说出自己的忧虑："我这儿子年轻不懂事，把他留在这里镇守，还请师父多多照顾他。"

僧导答应说："您回去吧！我会照顾他。"宋武帝听后放心离去了。

不料，北方的胡人趁宋武帝返回时，见有机可乘，便一路攻打下来，义真前往迎战，没想到中途吃了败战，只好连夜返回长安，但敌人的军队却紧追不舍，眼看就要在两山之间的小峡谷中被追上了，义真带着士兵奋力冲过峡谷，胡兵的将领赫连勃勃在后面大声呼喊："快追！"

这时，忽然出现几百名和尚，每个人手上拿着一根棍杖，围阻在峡谷的黄土路上，原来僧导得知义真有难，赶紧集合所有的弟子前来解围，弟子们都知道僧导一向信守承诺、说到做到的个性，虽然手无寸铁，还是拿起木头棍杖，跟着师父赶来救人。

赫连勃勃看到这群手无利刃的和尚们，伸手一挥，令军队停止前进，自己骑着马往前一步说：“快让开，我可不想滥杀无辜，尤其是对出家人。”

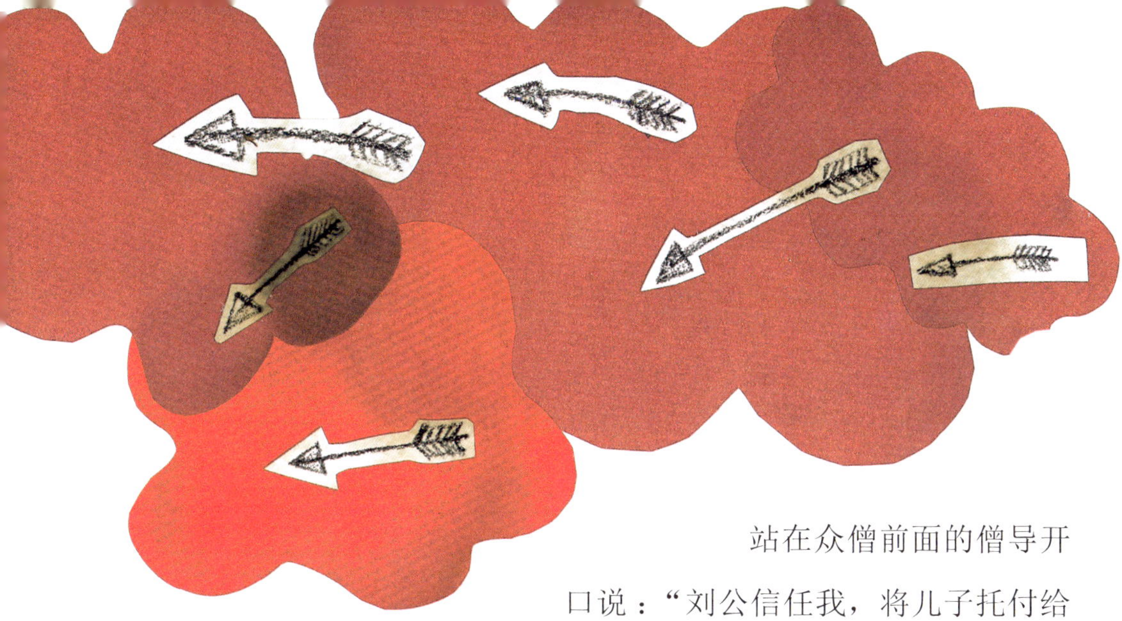

站在众僧前面的僧导开口说："刘公信任我，将儿子托付给我，我既然答应了，就算以死相送，也在所不惜，请你不要再追了！"

僧导一字一句说得铿锵有力，连赫连勃勃也深受感动，但又不能轻易放弃追杀，便说："好！只要你能说出究竟是什么原因，让刘裕如此信任你，假如也能让我信服，我就看在你的面子上，不再追了！"

僧导回说："刘公信任我，是人与人之间那一份慈悲的善意，不需要为了争权夺利，彼此相互恶斗。"

终年与敌厮杀的赫连勃勃听到僧导的话后，被深深地震撼了，他这才知道原来人与人之间，可以不靠战争，在信任中和平共生，因此他转头对士兵说："撤退！我们不能对一位大修行者动手。"然后向僧导双手合十敬礼，带领军队掉头回去了。

因为僧导的全力救助，义真得以顺利逃走。事后，宋武帝非常感激，他说：“僧导真是救苦救难的菩萨啊！要不是他，我肯定要失去这个儿子了。”

为了答谢僧导，宋武帝特地为他建造了一座东山寺，吸引一千多名僧众追随。在这期间，北魏灭佛运动造成许多僧侣被迫害，那些避难的僧人也纷纷前来投奔。僧导的慈悲力量，不但让更多人信任他，僧导更成为照亮黑暗的“光明灯火”。

扫出一地的智慧

大师密码 Training 培养

唐朝的惠能与神秀两大禅师，一南一北决定了当时禅宗的发展道路，一条朝着顿悟前去，另一条则朝着渐悟前去。惠能与神秀师出同门，指导他们的人是大师中的大师——禅宗五祖弘忍。

这位不平凡的老师，七岁就因绝顶聪明的应答，让禅宗四祖道信主动收他为徒。弘忍人如其名，懂得“安忍”的智慧，能收敛锋芒，以杂务锻炼自己。弘忍继承四祖道信的衣钵后，作为黄梅双峰山东山寺的住持，他的教法被称为“东山法门”，许多人闻风而至拜他为师。

弘忍白天带领大众劳役，晚上专心禅坐，一生都是这样平淡地生活着，连唐高宗召他入京，他都坚辞不去，也因此才能投入全部精力指导学生，教出南宗禅惠能与北宗禅神秀两大高徒。

小档案 弘忍

- 国籍：中国
- 别称：五祖黄梅
- 专长：禅修
- 影响：开创东山法门
- 事迹：培养出惠能与神秀两大禅门巨柱

道信禅师这一趟出门时间很久，回来时还带了一个小孩儿。其他弟子纷纷涌上前向师父请安，看到站在一旁的孩子，好奇地问：“师父，这孩子是谁啊？”

道信欣喜地说：“这是我在路上遇见的一位无姓小孩儿，虽然没有姓，却很有慧根❶，以后他就是你们的小师弟了！要多多照顾他，知道吗？”

弟子们一齐答应：“知道了，师父！”

❶ **慧根**：表示一个人具有能够领悟佛法微妙精髓的智慧根器。

等弟子们都退下后，道信禅师转头对无姓小孩儿说：“你年纪还小，只有七岁，但既然出家了，就要有出家的样子，好好跟师父学习，千万不可以怠惰啊！”

无姓小孩儿满脸稚气地回说：“师父，您放心，您现在培养我，将来我一定会发扬您的法门。”

道信禅师摸摸他的头：“好！师父看看你能不能做得到，从现在起你的法名就叫弘忍，在弘扬我的法门之前，你可要忍耐修行，才能成功啊！”

无姓小孩儿终于有了自己的名字和属于自己真正的“家”，他非常开心地点点头，从此跟着道信禅师在湖北省黄梅县的双峰山认真修行，十三岁时，正式剃度为僧。

在道信禅师的门下，弘忍白天下地干活儿，砍柴烧饭，晚上打坐学禅。日子虽然过得很辛苦，可是他没有任何怨言，默默地接受一切的磨炼，因为他相信师父所做的任何事，都是为了培养他的智慧。

弘忍天赋异禀，师父所说的佛法，他一听就懂，道信禅师也常常考验他，让他从这些事理中得到启发。

有一次，道信禅师见弘忍在扫地，便故意叨念他：“你这地是怎么扫的啊？每天扫还是扫不干净！”

弘忍知道师父是以灰尘象征烦恼，以扫地象征修行，故意在考自己，便回答：“因为每天的灰尘就是这么多，所以才要每天扫啊！”道信点点头，知道弘忍已经明白“渐悟❷”的道理。

隔天，弘忍扫地时，道信禅师经过时，又再度责备说：“你这地是怎么扫的啊？怎么每天扫还是一堆灰尘！”

弘忍一听，把手中的扫把收起来，师父紧接着问：“为何不扫了呢？”

弘忍笑答：“这灰尘落在地上本来就是自然的，我何必扫呢？”道信禅师点点头，知道弘忍理解了“顿悟❸”的道理。

❷ **渐悟**：经长时间循序渐修，渐入彻悟境地的教法。

❸ **顿悟**：帮助人在刹那间领会烦恼空性的教法。

时光荏苒，弘忍从七岁开始，跟在道信禅师身旁，转眼三十年过去了，弘忍已得到道信禅学所有的精华。道信禅师将衣钵传给弘忍，并对他说：“你已经证明自己是个值得培养的人，而且我相信你也懂得如何去培养别人，将来会把禅法付托给合适的人。”

不久道信禅师就过世了，弘忍继续弘扬禅法，因为学习的人愈来愈多，只好在双峰山的东面另外建一座东山寺，人们称为“东山法门”。

有一天，来了一位中年出家人神秀，人长得高大且面貌端正，向弘忍请法：“师父，我学佛多年，遍读所有佛书，却还是没有领悟，请师父指点一番。”

弘忍手一挥，只说：“挑水去！”

神秀谢过师父，每天一早认认真真地跑去挑水，工作非常勤奋，弘忍知道神秀学习非常认真，只可惜根器还不够上乘，便要他从日常的粗活儿开始磨炼，打掉他的知识包袱，一步步进步上来。后来神秀对于禅法渐有领悟，深得师父的器重。

又有一天，一位南方樵夫惠能也来求见弘忍禅师，弘忍禅师并不因惠能出身低微就故意不见，而这一见，让弘忍的心大为震动，多年来一直等待的接班弟子终于出现了。但禅师抑制住兴奋的喜悦，故意用不屑的口气测试对方：“你这南方人到这里做什么呢？”

个头矮小，长得其貌不扬的惠能回答：“人虽然分南北，但佛性没有南北，我远来拜师，希望也能做佛！”

弘忍禅师一听心底更加惊讶，知道此人没有受过教育，却有上乘的根器，为了对他善加培养，教他隐藏自己的锐气，不被其他弟子所嫉，便大声一喝："你可真狂妄，到磨房舂米去！"

惠能欢喜地接受了，在磨房从早到晚每天辛苦地春米、推磨，一晃八个月过去了，虽然弘忍禅师表面上连一次都没去看过他，对他也不理不睬，私下里却很注意这徒弟的动向。

不久，弘忍禅师特地举办一场佛偈比赛，看哪个弟子偈子写得好，谁就是衣钵传人。

神秀写好了佛偈，信心却不够，三更半夜才悄悄把偈子写在走廊的墙壁上。第二天所有人争相目睹这首佛偈：“身是菩提树，心如明镜台。时时勤拂拭，勿使惹尘埃。”

众人一致称赞：“写得真好啊！”

弘忍禅师却什么话也没说，半夜把神秀叫到房内：“这偈子是你写的吧？”神秀点头。

弘忍禅师又说：“这偈子写得虽然不错，但还是不曾入门。你回去想想，再写一首，如果入门了，我就把衣钵传给你。”神秀黯然离去。

过了两天，墙上又出现了另一首偈子：“菩提本无树，明镜亦非台。本来无一物，何处惹尘埃？”

原来是不识字的惠能请人写上去的，众人惊呼连连：“这是那个南方人写的吗，他有这么厉害？”

弘忍禅师一看，担心惠能受到攻击，拿起鞋子擦掉佛偈：“写得也不怎样。”但谁好谁坏他心里已经很明白了。

因为不忍让两名徒儿造成嫌隙，弘忍禅师偷偷地将衣钵传给惠能，叫他往南避到广东传法，还亲自送他到渡口；另一方面他对神秀也是相当关爱，特地把他留在身边指导。果然，神秀没有辜负师父的苦心，也赢得了弘忍禅师对他的许可：“我一生度人无数，可是对佛法了解的深刻，没有人能超过神秀。”

弘忍禅师培养弟子的心始终一致，并不因根器不同而有分别心，只是让他们朝不同的方向发展。后来惠能弘扬了顿悟法门，神秀发展了渐悟法门，各自将禅宗带往前所未有的盛况，这都是弘忍大师的功劳。

把坏人哭成好人

大师密码 Tolerance 包容

“空也上人像”是日本极富盛名的古木雕作品，一个衣着破旧的云游僧，胸前挂着小鼓，边走边念佛的他，就这样将佛法传遍了日本市镇，口中竟然还念出了六尊小佛。

看起来孑然一身的空也，从不对人谈论他的身世，有人说他是天皇的儿子，也有人说他是亲王的儿子，没有人知道他到底出身于哪一个名门望族。一心向佛的他，对于贵族间的权势争夺不感兴趣，十六七岁便已广到各地行善，除了架桥修路，他还主动收集荒野尸骨，帮忙火葬死者并为死者诵经祝福。

他在二十一岁那年，于国分寺出家后，更加用功地遍读群经。他原本带着弟子们隐居在深山寺院，不忍见民众受苦，因此走入市井传法，被尊为是“城市的圣人”。

小档案 空也

- 国籍：日本
- 别称：市之圣、阿弥陀圣
- 专长：念佛
- 影响：将日本净土法门普传于各城市
- 事迹：原谅匪徒，并收为弟子

在日本京都最繁华热闹的市区里，长长一排各式各样的店家，忙着招呼从早到晚络绎不绝的人群，不管是达官贵族还是市井小民，都喜欢在这里逛街购物。

不知从哪一天起，街头药铺一旁的十字路口，出现了一位出家人，他手拿着钵碗，像树一般站着，丝毫不受往来的人群和车辆影响，口中不停诵念：“南无阿弥陀佛。”

对于从药铺走出来的病人，出家人都会和善地说：“佛菩萨保佑你身体早日康复。”

就这样，许多病人的病都好起来了，也不知是药的力量，还是念佛的祝福生效了，总之，一传十、十传百，这家药铺的生意好得不得了，而更多人是来向出家人祈求平安的。

大家也学着这位出家人的样子念佛，不久整个京都大街小巷都在流行念佛。

这位出家人很奇怪，就算已经有这么多人敬拜他了，他还是在地上铺一张草席当床睡，摆一只空钵，让人将剩菜剩饭放在里头吃，简直跟乞丐没什么两样。

这天，一位年轻僧人来街上买东西，途经药铺时无意看了出家人一眼，不禁脸色大变：“师父怎么跑到大街上乞讨来了？”他赶忙奔上前去：“空也师父，原来您跑来这里，害得大家都找不到您。”

空也禅师看着自己的弟子，笑着说：“你不是找到我了吗？”

弟子无法理解地又问：“师父，您为什么跑来这里？原本在山上您嫌吵，现在这热闹的大街不是比山上更吵吗？”

原来空也禅师在山上的寺院里修行时，日子虽然过得平静，可是弟子们的来来往往，似乎扰乱了他的心，大家常常听到他叹气说：“哎呀！怎么这么吵！”

弟子们知道师父怕吵，做什么事都小心翼翼的，没想到有一天师父忽然不见了，一群人找不到师父，只好离开寺院，散去他方。现在这位弟子发现师父竟然躲在闹市中，不免心生不满。

面对弟子的不满，空也禅师并不生气，反而致歉说："师父不辞而别，真是对不起你们。当初在山上教导你们时，我的心其实片刻都不能平静，直到来到这个闹市中，看见形形色色的人和各种不同的世俗烦恼，让我愈发体会到佛法的真理，反而意外地得到了平静，虽然我睡的是草席，吃的是剩饭，但是能帮助更多的人念佛，这让我的心感到更快乐。"

弟子听完后，感动得流下了泪水，也明白了师父为大众服务的心："弟子错了，我现在能理解您的想法，不会再怪您了，您就安心在这里弘法吧！"说完，便告辞离去。

近来空也禅师在街上教人念佛时，总会凝视市区东面，药铺老板忍不住好奇地问：“师父，您在看什么呀？”

空也禅师回答：“我在看东边那一座关犯人的监狱。”

药铺老板又问：“监狱有什么好看的呢？”

空也禅师突然眼睛一亮，回说：“我想在监狱的隔壁，建造一座佛塔。”

药铺老板一听，更加好奇了：“一般佛塔都盖在山明水秀的地方，怎会选在监狱旁边呢？”

空也禅师回说：“这些犯人是因为无知才犯下罪行，如果能在监狱旁边盖佛塔，可以让他们在看到佛塔内的佛像时，心里感到有所依靠，佛塔随风扩散的钟声，也可以涤洗他们的心灵，出狱后就能重生。”

药铺老板听完后，大感敬佩：“师父，连这种人您都愿意去拯救，真是太伟大了！您说造佛塔要多少钱？我来想办法。”

就这样，空也禅师造佛塔的消息传遍了整个京都，大家有钱的出钱，有力的出力。很快，一座典雅庄严的佛塔便矗立在监狱旁边，让关在里头的犯人，暮鼓晨钟地沐浴在佛法中，渐渐得到感化，改过向善。

为了让空也禅师有个落脚处，信徒们一起出钱出力，帮忙造了间佛寺让他安心住下来。

这一天晚上，空也禅师因为有事耽搁了，回寺院时，已经是深夜时分。就在四下无人之时，几个蒙面的盗匪忽然一拥而上："把身上的钱财拿出来！"

结果，空也禅师突然大哭起来，抢匪一急，喝令说："你哭什么？还没拿你的东西你就哭，真是丢脸死了，出家人竟然这么贪恋财物！"

空也禅师边哭边说："我不是为失去的财物哭泣，而是为你们哭啊！"

抢匪不解地问："我们有什么让你哭的？"

空也禅师真诚地回说："你们今世好不容易得到可贵的人身，却不做善事，反而做坏事，将来一定会遭到可怕的恶果，一想到这里，我就替你们难过。"

这一番为人设想的慈悲话语，说得连抢匪都对自己未知的命运感到不安起来，他们丢下空也禅师，赶忙逃走了。

第二天，七八个壮汉来到空也禅师的处所，请求空也禅师为他们剃度。

"你们是谁呀？为何无缘无故地跑来要出家呢？"

只见他们跪在地上，惭愧地说："师父，昨晚听了您一席话，我们知道自己罪孽深重，请您一定要救度我们呀！"

空也禅师这才知道，眼前这一群人就是昨晚的抢匪，但他一点也不介意，爽快地同意了："没有问题。"

空也禅师以这样包容无私的心，感化了盗匪改过向善。为大家念佛祈福的他，所带动的念佛法门就像清亮的钟声，传遍了日本的大街小巷，深深回响在每个市民的心里，大家都推崇他是城市的圣人，尊称他为"市之圣"。